JN111485

天才論

進化と進歩

堀江秀治

文芸社

目次

一　阿房な戦後日本人

戦後日本人の阿房さについては、これまで散々書いてきた。

たとえば広島平和記念公園の石碑に刻まれた「過ちは繰返しませぬから」、また中国への香港返還に際してのイギリス総督・パッテンに対して日本記者団からの「アヘン戦争以来のことを謝罪しないのか」、また従軍慰安婦問題での河野氏の「お詫びと反省」発言、そしてまたそれに関連して、宮沢首相が韓国へ行ってぺこぺこ七回も頭を下げて謝罪したことなどである。

そしてこの国では、いまだに従軍慰安婦報道をした朝日新聞が一流だと思われているらしいことは、戦後日本「村」人（農工商）がその歴史的古層に持っている、武士に対してなに事も「私(あっし)が悪うござんした」と言えば「水に流してくれる」と思っているらしいことである（日本人がなにかと言うと「済みません」と発語するのは同じ古層のものである）。その結果、国家意識は生まれず「考える」能力ゼロの猿マネ暗記ザルにまで退化してしまったのである。

朝日新聞の従軍慰安婦報道は、そも丸山眞男の大東亜戦争に対する「間違った戦争」観、つまり日本「村」人の歴史的古層に横たわる「私が悪うござんした」観が、その空っぽ頭を満たしているから『吉田証言』なるものが日本軍の悪口を述べているという理由だけでそれを信じ——振り込め詐欺に引っ掛かっている自覚もなく——、それを今度は自分たちのネタにして購読者を振り込め詐欺に引っ掛けたのである。こんな新聞が一流だと思われている国に未来があるとでも思っているのか?

これは大江健三郎著『沖縄ノート』(岩波新書)が引き起こした裁判の原因も、氏が振り込め詐欺をやったからである。どちらも現地の取材、調査を行っていない。つまり情報を取るという基本的なことをしていないのである。彼らにはジャーナリズムそのものが分かっていない。だから日本が振り込め詐欺大国になるのも分かろう。つまり日本人全体が振り込め詐欺に引っ掛かっているのである。それは日本人が自分の頭で「考える」能力を持たぬからである。

「考える」能力をもつ武士がいればこんなことは起こらなかった。これは西洋市民もそうだが、彼らは戦う人々だから情報を取るのは当たり前なのである。ジャーナリズムに身を投ずるとは、ある意味命がけなのである。だから日本のジャーナリストは死なな過ぎると言われるのである。これは日本人の愛国心の断トツの低さと同列のものである。

彼らの退化の原因は、この国がほぼ自給自足でやってきたガラパゴス的島国だったことにある。日本が大陸でなかったことは、西洋市民社会のような歴史的古層を育ませることなく、そこに士と「村」人という身分社会を形作らせることになった。そのことはまた同時に、支配者・武士は「村」人に養ってもらっていたという関係上、その支配は過酷なものではなかった、ということでもある。

それは福沢が『学問のすゝめ』で言うが如く、武士と「村」人との関係は「主人」と「逃げ走る」「客分」とのものとなり、それが歴史的古層化され、そして今日、武士を失った日本には退化した「村」人しか残されておらぬことになってしまった。それは言い換えれば、頭の空っぽの「村人」が武士にしたように、連合国側に「私が悪うござんした」と言って頭を下げれば、何事も済むという歴史的古層を持つ者しかいなくなってしまった、ということである。だから三島が檄文で言った「それは自由でも民主主義でもない、日本だ。われわれの愛する歴史と伝統の国、日本だ」など理解できる者はいない。なぜなら戦後の日本は、「主人」としての日本人ではなく、「客分」のそれに過ぎぬからである。だからこの国は、西洋文明に乗っ取られたかの観の、西洋の妾のような国になってしまったのである。従って「主人」になる気のない日本人妾は、日本のことなど学ばず旦那の国の学問を一生懸命、猿マネ暗記ザルの如く学んでいるのである。しかも学んでもなんの意味もないことも理解せずに。日本人のやるべきことは、西洋に留学するのではなく、まず古い日本の歴史と伝統とに留学し日本人として肉体の学問（無）を通して「考える」能力を身につけることである。なぜなら戦後の日本人は、空っぽ頭の「村」人の歴史的古層に支配されており、それが西洋市民のそれとは水（進化）と油（進歩）ほどに違うことが、「考える」能力ゼロの「村」人には分からない。だからレーヴィットも言うように「二階にプラトンからハイデガーに至るまでのヨーロッパの学問を紐（ひも）に通したように並べる」ことしかできぬのである。なぜなら階下は空っぽであり、その結果として、西洋猿マネ暗記ザルになるしかないのである。日本人としての自分の頭を持っていないのである。もし持っているなら、まず「考える」能力を養うために武士道等（肉体の学問＝修行）を学んでいただろう。それは江戸時代、武器としては時代遅れの剣術に励んだのは、進化における「考える」ための「肉体の無」に達するためであり、それはまた彼らが好んで禅をやったことでもある。そしてそれと同時に彼らは藩制（国家）としての統治、軍事の学問をやったのである。自分の頭――世界を自分の頭で計る視点、つまり日本人においては「無」――がなければ「考える」ことはできぬのである。福沢はそれを持っていたから「考える」ことができたのである。

ここまで述べてきたのは半ば復習的なものである。

西洋市民は戦う人であるから武士に近い。つまり西洋市民はヤクザ市民であるからして、彼らはヤクザ国家を形成したのである。そのことは西洋がいかに治安が悪いかが物語っている。

ちなみに一言いっておけば、すでに誰かが指摘していることなので、当然日本人は知っているものと私は思っていたが、ＮＨＫテレビを見ていたら、ある番組で、エスカレーター内で二人の他人同士が乗り合わせた場合、日本人は互いに無言であるが、西洋人は互いに自己紹介等をして喋り合うことを指摘していた。その理由が日本人（ＮＨＫ）にはいまだまったく分かっていない。日本人には西洋コンプレックスがあるから——西洋の方が優れていると思っているから——こんな馬鹿な番組を放映したのである。要するに西洋は治安が悪いから無言でいることが怖く、自分が善人であることをアピールするために喋り合うのである。そんなことも理解できぬ戦後日本人とは、つくづく学習能力がないと言わざるをえない。

西洋諸国はその国民性に多少の違いはあるにしても、キリスト教国としてはほぼ同じである。

多少の違いとは、たとえば戦争において独仏はヒトラー、ナポレオンのような独裁者を生み出したが、英米は推理小説のように人を殺し支配していったから独裁者というものが存在しない。それだけに彼らに悪賢さ、薄気味の悪さを感じないわけにはいかない。

いずれにせよ、西洋の基本はキリスト教である。だから西洋人にはキリスト教は当たり前のことだからそれについて述べず――あるいは述べているのかもしれぬが日本人には珍紛漢紛だから伝わってこず――従ってそこから生まれた、なんとなく高級そうに思えるという理由だけで、哲学、政治学、経済学等について学ぶのである。つまり西洋猿マネ暗記ザルとは、その意味が分からずとも、その上澄だけを暗記すれば満足する人種なのである。

だから、平気でキリスト教と無関係に民主主義を論ずることになるのである。そして実に無頓着に、日米は民主主義の価値観を共有している、などと言うのである。そういう話を聞くと、私はつくづく日本人とは「考える」能力ゼロだと思わぬわけにいかない。

それはキリスト教徒・曽野綾子氏が、大江氏の『沖縄ノート』に半ば触発されて著した『ある神話の背景』は、その基本を情報収集に置いていることはともかく、氏が「そして今もなお戦争ではなく、軍隊の存在そのものが悪であるという考え方ができるのは、世界でも日本だけかもしれない」と言うとき、民主主義を理解しているのは氏くらいではないかと思ってしまう。それは裏を返せば、戦後日本とは「主人」の国ではなく、「逃げ走る」「客分」の国であって、その歴史的古層において民主主義とは、縁もゆかりも無い国だと思わぬわけにはいかない。ただ今更ここでその毀誉褒貶を論ずる積りはない。

私が西洋に若干の国民性の違いはあるにしても、本質はキリスト教であると言った意味は、たとえばナチス・ドイツの思想と、当時のアメリカの政治家の頭は、日本人の私から見ると同じに見えるのである。つまりデカルトのキリスト教は、ドイツもアメリカも同じではないかと。一言でいえば彼ら神人にとって、キリスト教徒以外の異教徒は「延長する物質（モノ）」だ、ということである。別言すれば、民主主義から生まれたナチスの、ユダヤ人に対するホロコースト、医学人体実験と、民主国家アメリカの黒人奴隷、原爆投下とは、所詮、異教徒を人と見ぬヤクザ民主主義だということである。すなわち、ナチスはユダヤ人から金を巻き上げれば用済みだから、ホロコースト、人体実験によって処分し、アメリカの黒人奴隷は労働力としてのモノ（家畜）だから餌を与え生かしておかなければならなかったのである。そして無辜な人々の住む広島、長崎への原爆投下（前者ウラン型、後者プルトニウム型）は絶好の人体実験の場だったのである。それを物語っているのが、その成功の一報にトルーマン大統領は小躍りして喜んだという。これは虐殺趣味である。いずれにしろこれがヒュースケンの言う西洋文明のもつ「重大は悪徳」である。

少なくとも武士である私なら、まず東京湾内に一発目の原爆を落としその威力を見せつけ、もし降伏しなければ二発目は天皇の住む本土に落とすぞと威したろう。それで日本は確実に降伏したはずである。

武士は戦はしたが、西洋人のように殺し好きではなかった。まず調略をめぐらせ、また城攻めをするにしても、水攻め、持久戦に持っていくことが多かった。本気で戦うのは乾坤一擲の時であったから、日本で虐殺など行われたことはなく、従ってその歴史的古層を持っているはずもない。それは南京虐殺三〇万人を信じる日本人は、いかに頭が空っぽかということである。あれは中国人の歴史的古層が顕れただけのことである。

そのいわば証として、イギリス人・ブリンクリが目撃した武士の果たし合いにも、日本人が殺し好きでなかったことが示されている。

その果たし合いは呆気なく終わってしまうのだが、その後の勝者の執った行動に彼はいたく驚かされるのである。彼は死者を自らの羽織で覆うと、その前に跪(ひざまず)き合掌したのである。それはトルーマンの態度とは大違いである。

ヘンリー・S・ストークス氏が『英国人記者だからわかった日本が世界から尊敬される本当の理由』で「日本は全人類平等を提唱した唯一の国」というのも過大評価ではない。

戦後の日本人が阿房になったのは「考える」能力をもつ武士がいなくなり、なんでも「私が悪うござんした」という、口先だけの「村」人西洋猿マネ暗記ザルだけになってしまったからである。日本人として自分の頭で「考える」者がいなくなってしまったのである。そのいい例が根拠のない民民ゼミの大合唱である。国家が歴史と伝統と文化との上に成り立っていることが、分からぬのである。

二　進化と進歩

生命は進化して今日に至っている。従ってサル（無）からヒト（有）に進化したという進化論は正しい。進化論を認めたがらぬのは、単なる宗教的アヘンからである。日本人はガラパゴス的島国に住んできたから、江戸時代までは進化の正統性を生きてきた。その正統性とは神道である。そこにはなんの知識も思想もない。その神道をあえて説明すれば、吉川幸次郎が「本居宣長の思想」として述べている、次のようなものであろう。

世界とは善と幸福とのみでは満たず、悪と不幸とが、必ず並存する。これは神の意思としてそうなのであって、神にも善神もあり、悪神もあるからである。そうして吉善（ヨゴト）、すなわち幸福と善の中には、必ず凶悪（マガゴト）、すなわち不幸と悪の要素があり、逆に凶悪（マガゴト）の中には必ず吉善（ヨゴト）の要素があるゆえに、吉善（ヨゴト）と凶悪（マガゴト）とが相互に移転する。現実がそうである原型も、「古事記」の神神の間の交渉としてある。伊邪那伎（イザナキ）、伊邪那美（イザナミ）の二神が、美斗能麻具波比（ミトノマグハヒ）をして国国を生んだという吉善（ヨゴト）は、最後に火の神を生んだことによって、女神の死という凶悪（マガゴト）を招く。しかしまた女神を黄泉国（ヨミノクニ）にたずねて行った男神が、女神と訣別しての帰途、橘小門（タチバナノヲド）の禊（ミソギ）をし、それによって天照大御神（アマテラスオホミカミ）、すなわち宣長によれば、現在も天空にかかる太陽であるが、それを長姉とする三貴神が生まれたのは、吉善（ヨゴト）である。これ善と悪、幸福と不幸が永久に継起交錯するという事態の原型である。（古事記伝七）

敢えていえばこれが進化＝神道の概念であって、ここから進歩は生まれない。生命は、食餌、生殖、闘争、群れの四つの本能を肉体の無のなかに持ち、そのなかで生の上昇＝力への意志＝集団ヒステリーを通して進化してきた。これが進化の正統性である。従って生命の世界は「食うか食われるか」の生存競争のなかで、環境からの情報を肉体の無に下降して、あたかもそこで「考える」かのような操作を行って、それを生の上昇をもって肉体を変異させることによって進化してきたから、その速度は極めて遅い。それは「無」で「考える」（これについて本書では多言しない）からで、日本においては縄文・弥生時代、さらに王朝時代、そしてようやく「無」で「考える」ことのできる武家時代に至るまで何万年もの歳月を要した。

ところでサルからヒトに進化するに当たって、ヒトはなぜ意識なるものを生み出したのか？　それは原ヒトが弱かったが故に、それを補うために脳を進化（発達）させることによって、意識を生み出すに至ったのである。

意識とは、それまでのサルが四次元生命（四次元身体、肉体の無）を生きていたのを、意識という虚構の三次元身体（有る）を生み出すことによって、四次元という無と無限とからなる自然世界（宇宙）を、時間と空間（三次元）とに分離したのである（なぜ分離できたかについては、拙著『空（無）の思想』に当たられたい）。つまりヒトは、無（四次元身体）と有（虚構の三次元身体＝意識）との二重の身体を生きることになったのである。

これは言い換えれば、無意識（無）と意識（有）との二重性を生きることになった、ということである。従ってヒトは（一部、禅者のような例外を除けば）無意識（無）

を問題とせず、時間と空間とからなる有の世界を生きることになった。西洋人などはその典型で、無の有ることなど信じていない。斯くして意識の底辺に眠る肉体の無（無意識）のことなど忘れられていくことになった。

なお、私の思想では無意識という用語は使用せず（歴史的）古層と表現する。その理由は、同じ意識下にあってもその概念が著しく異なるからである。無意識が意識から見下ろしたものであるのに対し、（歴史的）古層は逆にそこから意識を見上げたものだからである（詳しくは拙著『私の愛国心』等に当たられたい）。

ヒトが意識の方向に走ったのは、世界をサルの肉体の無（時間も空間もない）で生きるよりも、意識によって有（時間・空間＝三次元身体）で捉える方が有利だと、生命が選んだ進化の結果だろう。

だが進化にはその意識を言語（価値）化する意図はなかった。況して西洋市民や武士のもつ自己の主体性を通すような「考える」意志もなかった（ちなみに戦後の日本人はその「考える」能力そのものを持っていない。西洋の猿マネ暗記ザルをやって「考えている」と思っているだけである）。つまり進化はなんの意図もなく、ただ生命のもつ集団ヒステリーに基づいて生を上昇させようとする（力への）意志の方向へ走っているだけである。

しかしヒトが世界を三次元化して見ることになれば、それまで無であった自然世界を意識を持つことで、ヒトはその世界を価値の拡大（生存）の方向に沿ってそれを見、切り分けていくことになった。それが進化によって生まれた言語（意識）である。

そうであれば言語化された世界（三次元身体）が肉体（四次元身体）をもたぬ虚構である――たとえばデカルトの身体のない哲学に基づく西洋人の意識の思考になる――のは自然である。そのことは同時に、これまでの本能（四次元身体）も虚構化された価値（三次元身体）となり、それによってヒトは、本能（食餌、生殖、闘争、群れ）的価値という虚構（嘘）の世界を生きることになった。ニーチェが「主体は虚構である」と言ったのはこのことである。

斯くしてヒトは言語（価値）という虚構の世界を生きることになったのである（後述するが西洋キリスト教徒は言語の世界しかないと思っている）。

しかし進化は遅々としたものであって、それは『古事記』の冒頭のようなものである。

それ、混元すでに凝りて、気象いまだ効れず、名もなく、為もなし、誰かその形を知らむ。

しかれども、

乾坤（天と地）初めて分かれて、参神（天之御中主神・高御産巣日神、神産巣日神）造化の首となり、

陰陽（男女）ここに開けて、二霊（伊耶那岐命・伊耶那美命）群品（万物）の祖となりき。

このゆゑに、

幽顕に出入して（伊耶那岐命が黄泉国〔幽〕に伊耶那美命を追って行き、現し国〔顕〕に帰って）、日月目を洗ふに彰れ、

海水に浮沈して（伊耶那岐命が橘の小門で）、神祇身を滌くに呈れき。

かれ（かようにして）、

太素は杳冥なれど、本教によりて土を孕み（国生み）嶋を産みし時を識り、
元始は綿邈（遙かに遠いさま）なれども、先聖によりて神を生み人を立てし世を察りぬ。

斯様にして様々な神（八百万神）が現れてくるのであり、古代の人々は自然を神（自然神）と見たのである（砂漠に生まれたキリスト教という人工神との対比を記憶せられたい）。

そのように古代の人々は生き、それが部族社会を形成し、そしてその進化がやがて砂漠の土地に生まれたキリスト教文明においては消滅し、進歩に変わりついに人類最後の「食うか食われるか」の殺し合いの現代文明に至ったのである。つまり敵を殺し生き延びるための「考える」能力を持つにまで進歩したのである。

しかし島国に住む日本人は、その進化の歴史においてその歴史的古層を士農工商的なものにしただけである。戦をする武士は「考え」ねばならなかったが、その他の「村」人は「逃げ走る」「客分」であり、武士に対し「私が悪うござんした」人間と化

したから一切「考える」能力は発達せず、退化したままの歴史的古層を持ち続けることになった。

さらに進んで明治となり武士が廃され、また大東亜戦争敗戦後になると、日本人に「考える」能力を持つものが一人もいなくなり、その退化した歴史的古層は空っぽ頭ゆえ、なにも「考えず」西洋の猿マネ暗記ザル化に走ったのである。そんな頭であれば、それが戦後、自ら好んで振り込め詐欺に引っ掛かっている、という自覚を持つ者はまったくいなくなった。その証が民民ゼミの大合唱である。それが日本人の歴史的古層に適したものであるかどうかという検証さえできずに、つまり戦後の日本人は妾のようなものだから、旦那から「民主主義をやれ」と言われたから、ただそれに従っているに過ぎない。その証として、日本人がまったく民主主義、西洋ヤクザ市民（デカルトの「我」）、そしてそれは同時にキリスト教を解する者がいなくなったことである。私が彼らを評して西洋の猿マネ暗記ザルという謂れはそこにある。

日本人の頭の悪さ（退化）は歴史というものが、まったく分かっていないことである。私が歴史的古層を重視するのはそれが生命としての連続した進化だからである。つまり歴史を頭のなかでぶつぶつと切ってもなんの意味もないことが分からない。それが一向、日本が民主国家に成らぬ理由の一つである。なぜなら西洋の猿マネ暗記ザルをやっているだけだからである。日本で進化の自覚をもって生きている者は極めて稀で、三島が武士としての自衛隊に期待して三島事件を起こした理由もそこにある。が、今はそれについては述べない。

今は進化について言及する。

すでに述べたが、進化は環境からの情報を「肉体の無」に下降させることで「考える」ような操作を行うことによって変異を生じさせるものであるから、その進み具合は遅々としたものであるのに対し、進歩はその肉体から生まれながら肉体の外にある意識の上に、デカルトはインチキ神・キリスト教を利用することによって、そこに主体（「我考える」）を置いたからその進歩の速度は速くなった。

ちなみに、デカルトはどうしてそのようなことをしなければならなかったのかと言えば、ヒト（生命）は肉体のもつ群れ本能的価値（複数）を生きる宿命にあるから、

「我考える」（単体で考える）ことはできない。従って「我考える」の進歩はその生命の本質である肉体の無を捨て、単に肉体から生まれただけの意識に主体を置くことによって成り立っているのである。すなわち、デカルトの哲学に身体がないとはそのことを意味する。それ故、西洋文明は自然を無視し、その結果ニヒリズムを孕むことになったのである。

古代ヨーロッパは戦争社会であったから、そうした事情からそれに勝つために、進化から進歩（「我考える」）へと移っていった。これは別言すれば、進化の正統性から外道（もはや進化ではない）に走ったと、ということである。それは古代ギリシャに哲学（イデア）政治学、数学が生まれたのもそのためである。しかしそうした古代ヨーロッパも、四世紀後半のゲルマン民族の南下大移動によって滅び、中世に至る。これによってギリシャ思想は一旦滅びるが、それがたまたまイスラム教圏に保存されていたものが、再移入されると共に、ヨーロッパ中世のキリスト教神学の不毛な論争――「神の存在証明」――から、ようやく十七世紀デカルトによって「我考える、故に我あり」の哲学が生まれるに至った。これはキリスト教という、自然（進化）を持たぬ砂漠の地から生まれたが故に、神を天に置き生き延びるために欲望としての侵略、破壊、戦争を神の保証の下に正当化した戦争宗教である。

　そしてそこには絡繰（からくり）がある。それはそこに神に値するもの（自然）がなかった――砂漠だった――から、「人は自分で神を作り出し、それに隷属する」（アナトール・フランス）宗教になったことである。つまり自分で吐（つ）いた嘘に自分が騙され、それに隷属（信仰）するという自己偽善の絡繰をもった宗教だ、ということである。

　それは彼らの生きる土地が、戦争多発化地域であると同時に、砂漠の宗教キリスト教の地がもともと食糧を欠いた自然のない過酷な土地から生まれたものでもあるから、自己偽善で自らを騙さねばならぬような人工神への信仰によって、生きてゆかねばならなかったのである。そうなれば、デカルトの哲学に、世界を「延長する物質（モノ）」と見る思想が生まれたのも自然なことであった。

　彼らの神は日本のような自然神ではなく、人工神であったから、その延長する物質とは、異教徒への侵略、自然の破壊、そしてそれに伴う欲望としての自然科学の誕生は、神の保証の下に勝手次第ということになった。このことはキリスト教を信じる者は事実上、肉体をもたぬ神人であり同時にヤクザ（戦争）市民だということである。ここにヨーロッパにニヒリズムの生まれる所以がある。

そうであれば、戦争、欲望のための知識、思想が生まれ、それにキリスト教が利用されるのになんの不思議もない。従って知識、思想は殺し及び欲望のための道具となる。よって知識は原爆のような兵器を生み出すと同時に、医学のような人に恵みを齎すものも生み出したが、それはあくまで細菌等を殺すことによって成り立っているものである。それは彼ら神人が動物実験を平気でやったように、ナチスが人体実験をやったことに繋がる。

また思想で言えば、たとえば民主主義である。彼らは兵器を開発し、それをもって大英帝国を筆頭に植民地政策に乗り出し、そこにおいてアヘン戦争を行い、またアメリカは黒人を拉致して奴隷化したのである。これはもう完全にヤクザ民主主義の世界である。これは共産主義にしても同様である。

戦後日本人はそういうことを「考える」能力もなくただ猿マネ暗記民民ゼミをやっ

ているのである。それは戦後、武士が存在しなくなり、残ったのは「考える」能力のない、何事も「私が悪うござんした」人間しかいなくなったからである。そしてそうした退化した頭の悪い連中が、右翼だ左翼だと空騒ぎしただけのことである。

たとえば三島は右翼という、そんな安直な存在ではない。彼が檄文で言ったように「それは自由でも民主主義でもない、日本だ。われわれの愛する歴史と伝統の国、日本だ」が本意なのであって、右翼VS左翼といったようなものではなく、日本VS西洋の問題だと。

ところが完全に空っぽ頭の十二歳の少年は、戦後、口にチョコレートを詰め込まれたように、頭に民主主義を詰め込まれたに過ぎなかった。

どうして、そうみっともなく西洋の猿マネ暗記ザルがやれるのか？

鬼畜米英として民主国家と戦い、それに負けるや手の平を返したように「民民」と鳴き出す日本人とは、節操がないと言うより、頭のなかに蟹味噌でも入っているのではないか、と思わざるを得ない。まあ、そんなことを退化した頭に言っても馬の耳に念仏だろうが。

それに対して武士道は神道と禅の無が融合したような思想であり、そこで進化によって「考える」からチョコレートになる進歩になど見向きもしない。三島の思想とはそうしたものである。

どちらにしても、進歩思想（欲望と戦争と）である民主主義も資本主義も、進化を生きる日本人を幸福にはしない。なぜなら東西の歴史的古層がまるで異なり、しかも「考える」能力ゼロの日本人に民主主義など意味が分からない。ただアメリカに強姦された妾になっただけのことでしかない。

日本人は今も進化の思想（ただし退化）を生きており、それを「考える」能力のない人間が進歩に変えることはできない。つまりキリスト教を信仰できねば、彼らのように「考える」ことはできない。それを戦後の日本人は無節操に西洋を猿マネ暗記したから、今日の日本は引き籠もり、自殺大国になったのである。

日本人には西洋の欲望の資本主義は向いていない。日本人はその歴史的古層において、他人（ひと）の笑顔を見て幸福を感じる民族だからである。「おもてなし文化」などはその典型であり、また笑いの芸人の多いのもそうした理由からである。自分が損をしてでも他人の笑顔に幸福を感じる民族なのである。そういう民族であったから江戸時代、プライバシーもない貧乏長屋に暮らしていても幸福でいられたのである。だから落語『目黒の秋刀魚』からも、贅沢な暮らしをしている殿様を羨みもしなかった。つまり「私たち」の暮らしを楽しみ「個の思想」などとは無縁だったのである。女たちの井戸端会議もその楽しみの一つである。

これは日本人が進化の思想を生きていたからである。その思想には群れ本能的価値があり、群れ（仲間）といることが、ある意味幸福なのである。従ってそこから「考える」能力は生まれない。つまり進歩による欲望に目覚めることはない。

戦後の日本人の愚かさは、西洋思想には群れ本能的価値がなく、あるのは「『我考える』キリスト教集団価値」だ、ということが分からない。つまり西洋人は基本的に孤独であり、孤立しているということであり、それをなんとか補っていたのがキリスト教である。従って労働などは極めて苦痛であり、そこにカルヴァンの「予定説」などによってなんとか勤労意欲を高めようとし、それはやがてフランクリンの「時（労働）は金なり」に至るのである。しかし彼らは群れ本能的価値を失っているから、労働はどこまでいっても苦痛であり、ただそれを金という欲望で補うしかなかった。そしてその欲望を生み出すために、彼らは進歩の道を突っ走るしかなかった。欲望の資本主義などはその典型である。

戦後の日本人は、そうした東西の歴史的古層の違いも分からずに西洋の進歩思想を猿マネ暗記した結果、日本人を労働嫌いにさせ、引き籠り、自殺大国に走らせたのである。

ここは西洋ではなく日本だということが、その暗愚な猿マネ暗記ザルの頭には分からなかった。つまり日本人がどう生きていったらいいか、ということを自分の頭で「考える」知恵もなく、ただ西洋の猿マネ暗記に走ったのである。

私は資本主義をやるにしても、渋沢栄一の『論語と算盤（そろばん）』でいくべきだと思う。今日のインテリは『論語』などというと馬鹿にする傾向があるが、それが日本人に与えた影響はその歴史的古層において計り知れない。

私はその教えを（むろん時代が異なるからそのままではなく）学校教育に取り入れるべきだと思う。それを以て日本資本主義にすべきだと。たとえそれが経済成長（こんな下らぬ言葉に操られている日本人も相当な馬鹿である）に繋がらずとも。それは私事を含めて次のような理由からである。

私は以前どこかで「自分は十四歳で死んでいたら幸福だった」と書いたことがある。田舎暮らしをしていたからである（それは無意識にも私が無を知ってしまっていたこともあるにせよ）。そして東京に出てきて（私の生まれはもともと東京である）私の不幸が始まった。欲望の資本主義は私を幸福にするどころか、不幸にした。自然がないからである。

たとえば田舎暮らしをしていたとき、雨が降るとそこら中で雨漏りがした。それを家族中の者が揃って茶碗や洗面器を持ち出して溜（た）めたことなど、ほとんど楽しい遊びに近かった。日本人はそうして暮らしてきたのである。欲望など一部の人間の対象でしかなかった。

それは日本人が進歩という欲望の世界を生きる民族ではなく、進化という群れの価値を生きてきたことを、歴史的古層に持っていたからである。

私は高校、大学における無意味な西洋猿マネ暗記学問など——そういうところから愚かな朝日新聞などが生まれるのであり——廃止し、まず一に、無に達し、そこから政治・軍事・教育を担える人材を育てる機関を作ること、二に、和製資本主義を醸成するための教育機関を作ること、三に、地方で自給自足的生活を送れるための方途を探るべきと考える。言わば現代における士農工商版とでもいえるものである。なぜならそれが日本人の歴史的古層にもっとも近いからである。

そして最後に言えることは、西洋・神人の愚かさは、ヒトは自然人であるからして自然と共生していかねば、生きていかれぬことが分からぬことである。

日本人は江戸時代までは自然と共生して生きてきたが、黒船という進歩と対決するために、進歩の道をマネして歩んだ。さらに戦後も同じ道を歩み、水俣(みなまた)病等様々な公害を生み出すことになった。

そして今日、地球規模の気候変動（温暖化）によって、大旱魃、大洪水等を生み出すことになったのは、自然を無視した進歩思想の結果である。

戦後の日本人は進歩の道を歩んでいると思っているのかもしれぬが、日本人は進化のそれしか歩めない。つまり西洋の進歩思想を判断する力もなく猿マネしているだけである。なぜ進歩の道を歩めぬのかと言えば、デカルトのキリスト教がないからである。また当然、それへの理解もない。

先に挙げた曽野氏は、日本では珍しい真のキリスト教徒である。氏が「そして今もなお戦争ではなく、軍隊の存在そのものが悪であるという考え方ができるのは、世界でも日本だけかもしれない」と言えたのは、民主主義が理解できるからである。それに対して大江氏（岩波書店、朝日新聞）にはそれができない。日本人には民主主義が理解できなくて当然なのである。なぜなら「我考える」がないからである。だから進歩思想を生きることもできない。それは『沖縄ノート』裁判での大江氏の発言が支離滅裂だったことが示している。氏の頭は退化した「村」人のそれだからである。そしてその著作にしても同様である。

秦郁彦氏は『現代史の虚実』で、その裁判における「大江氏は言い逃れ、はぐらかし、論点のすり替えなど詭弁としか言いようのない非常識、不誠実をくり返した。私をふくめて傍聴者の多くは呆気にとられたが、被告（大江氏）の品格や知的水準を知る恰好の材料なので、いくつか論点を問答体（QとA）で再現したい」（これ以降のことは長くなるので略させてもらう。詳しくは拙著『空（無）の思想』参照）。

正直、大江氏の頭が滅茶苦茶なのは、それは無自覚にしろ氏の頭が退化した空っぽだから『鉄の暴風』という振り込め詐欺に引っ掛かり、それを『沖縄ノート』という同種の詐欺を行うだけの知能しか持っていなかったからである。岩波書店も同様である。

それは氏（および多くの日本人）が、数百年に亘って「考える」ということをしてこなかった結果として、その能力を歴史的古層に蓄積してこなかったからである。つまり日本において士農工商が成り立った（だから市民は生まれなかった）ことからも分かるように、「考える」ことができたのは、進化することのできた戦う武士だけであって、後の「村」人は「逃げ走る」「客分」が可能だったから、退化のまま居続けることになったのである。だから「逃げ走る」「村」人は、情報を取るという発想自体が歴史的古層に蓄積されていなかったのである。従って氏は「考え」ようとしてもそれ以前に、そも「考える」ことそれ自体が分からず、言い逃れ、はぐらかし、非常識、不誠実等の品格、知的水準の低さを露呈することになったのである（肉体の学問〈修行〉をせずに東大を出るとはその程度のことなのである）。だから「考える」能力を持たぬ「村」人である氏を筆頭に、日本は振り込め詐欺大国になったのである。

そうであれば日本の民主主義も同様の詐欺に引っ掛かっている――なぜなら日本人はその歴史的古層を持っていないのだから――ようなもので、いざとなったら、その保証の限りではない。なぜなら歴史的古層が「主人」ではなく、「逃げ走る」「客分」なのだから。

進化は「肉体の無」で行われ、進歩は「肉体の無い意識」にインチキ神・キリスト教の保証によって、そこに主体「我」を置くことによって、生命進化の外道になったということである。そしてそのインチキがいずれ生命として存在できなくなることを予言したのが、ニーチェのニヒリズムである。

西洋人の頭の悪さは「核兵器のない世界」などと言うところにも見られる。そんなことを彼らが実現できるわけがないことが分からない。なぜなら彼らは進歩と欲望との思想（歴史的古層）を生きているからである。それに対し『鉄砲を捨てた日本人』が可能だったのは欲望も進歩もない進化の思想を生きていたからである。生命の王道である進化のない文明はいずれ滅びる。

そうであれば進化を生きる日本人に必要なのは、知識ではなく肉体の学問による無で「考える」土台の修行である。それがないから日本の学校は、西洋猿マネ暗記ザル養成所になってしまったのである。

三　ニヒリズム㈠

ニヒリズムは私を悩ませたもっとも大きな問題である。そこから私の最も大きな造語思想である歴史的古層、自己偽善が生まれたわけだが、それらについてはある程度理解されたと考え、本書では触れなかったが、ニヒリズムに関しては巷間に出回っているそれと、著しく異なるので一応、私自身のためを含めて整理しておく。

一言でいえば、人々はニヒリズムをまったく理解していない。その理由は私やニーチェのようにニヒリズムの内部に落ち込んで、そこで思索していないからである。

ニヒリズムが分かりにくいのには、他にも色々理由がある。それはある意味、禅の無が分かりにくいのに似ている。それをできるだけ分かりやすくするため箇条書にして述べる。

一　禅の無の場合は、進化の逆行によって無に至り、それを自己の悟りとして、そこから意識を見上げることによって「考える」ことであるが、無は無であるからしてそれを言葉で説明することはできない。肉体で知るしかない。これは武士道と共通する。

これがニヒリズムとなると、同じように進化の逆行によって無と同じ地点に至るが、そこにあるのは無ではなく、一言でいえば「なんだかよく分からぬ、多くの場合苦痛を伴う情感＝『我考える』無」をニヒリズムと呼ぶ。

しかし実のところ無がそうであるように、ニヒリズムも体感しないと分からぬところがある。これが思想としてではない、「個」の体感としてのニヒリズムである。これについては後述する。

二

ヨーロッパ社会は古代より戦争社会であり、「個」で死に立ち向かうための宗教、考え方が必要であった。たとえば古代ギリシャの政治学、哲学（イデア）、数学等である。

対して古代日本はまったく条件が異なり（神話の形としてもより古くまた異質

で）、神道で足りた。

三

古代ヨーロッパ世界は、四～六世紀ゲルマン民族の南下大移動によってほぼ滅び、代わってその時代を中世キリスト教神学が占めることになるが特に見るべきものはない。

ただ言えることは、キリスト教は砂漠の宗教であって、人々になんの恵みも与えぬ宗教であったからして、その神の保証の下に恵を齎すものとして欲望としての侵略、破壊、戦争を正当化する戦争宗教となった。

そしてその間、滅んでいたギリシャ思想の、イスラム教圏に保存されていたものがヨーロッパに再移入し、その結合から十七世紀、デカルトの哲学が生まれた。

元来キリスト教はなんの恵み（価値）も齎されぬ貧しい土地に生まれた宗教であるから、死に対して強いのと同時に、もともと戦争宗教であることを歴史的古層に持っていた。そして更に強くなるためと同時に、そこから恵み（欲望）を得るために、デカルトはインチキな「神の存在証明」（もともと存在しないもの）

とによって、そこから世界を主観と客観とに分けることになった。

を元に「我考える、故に我あり」として、「我」を意識内に明確に根拠づけるこ

四

しかし問題はそれほど単純ではなかった。なぜならヒト（生命）は群れ本能的価値を生きているから「我考える」（単体で考える）ことができなかったからである。

ただ当時、戦争社会であれば「我考える」方が有利なことは分かっていたが、それをペテン師的に理論付ける者がいなかった。

そこに現れたのがデカルトである。彼の「神の存在証明」は明らかにインチキであるが、しかし西洋キリスト教文明とは、そも自己偽善によるインチキによって成り立っている過酷な土地の文明である。それは『新約聖書』の教えに基づきながら、どうして今日の西洋文明に行き着くのかを考えてみれば分かろう。つまり自己偽善によるペテンだらけの文明だということである。

五　しかしそうしたことを遺り続ければ、歴史的古層にある闘争本能的価値、群れ本能的価値も、生命としての変異ではなく、肉体なきゆえに外道化してゆくことになる。つまり四次元身体内の特に群れ本能的価値が破壊され、それに代わってそこが戦争のための「我考える」キリスト教集団価値に置き換わってしまったのである。すなわち普段、彼らはバラバラの個人であるが、いざ戦争となると集団化する、というものである。そして四次元身体内の群れ本能的価値が破壊されてしまっていることが、デカルトの哲学には身体がないといわれる所以である。

六　身体（肉体）がないとは、本来、生命進化は自然環境から情報を肉体の無に下降させ、そこであたかも「考える」かのような操作を行うことによって、生を上昇させ肉体を変異させるものであるのを、その肉体がないから進化することはできず、代わりに「我考える」という進歩の道を歩むことになった。しかも悪いことに彼らの神は何もないところから「自分でそれを作り出し」自己偽善によってそれに「隷属する」神であるということは、実質、神は自らを「神人」化するための利用価値でしかない、ということである。神はすでに死んでいるのである。

七　こうなれば、神に保証された彼ら神人は、それが砂漠の宗教であるから、有の数字からなる欲望を進歩とし、遣りたい放題のことをやる。それはたとえば、自然を破壊し自然科学と称し、それを以て武器を開発し世界侵略——イギリスの植民地政策、アメリカの黒人奴隷、原爆投下等——に乗り出していったのである。資本主義＝民主主義などはその典型である。まさにヤクザの遣り口である。

八　こうして生命の王道である進化は忘れられ、生（肉体）は捨てられ、人々はひたすら進歩＝欲望の道を進むことになった。その西洋キリスト教文明の持つ進歩思想が、生命進化を壊滅に追いやろうとするのがニヒリズムである。彼ら神人が進歩思想に走ったら、西洋キリスト教文明は滅びる。つまりそれはヒト（生命）が決して侵してはならぬ、文字通り神の領域に手を突っ込む行為であり、それはいずれ天罰として西洋文明の上に下されるだろう。しかし彼らはまさにニヒリズムというバブル状態の真っ只中にあるから、それが自覚できない。

九

ところで、どうしてニーチェや私に西洋キリスト数文明が、ニヒリズムを孕んでいることが分かったかについては、私たちがニヒリズムに陥ったからだ、ということを箇条一の「なんだかよく分からぬ、多くの場合苦痛を伴う情感＝『我考える』無」に戻って考えてみる。

ヒトに通常、進化の逆行が起きると価値の脱落によって無に至るが、西洋キリスト教文明においては四次元身体の群れ本能的価値が外道化し、「我考える」キリスト教集団価値化しているから、進化の逆行によって価値が脱落しても、それはキリスト教集団価値だけであって「我考える」は残る。つまりそれは「『我考える』無」というヒトには有り得ぬ精神状態に落とし入れることになる。これは『我考える』と「無」との絶対矛盾の世界である。その世界を生きるとは、西田哲学の用語を借用させてもらえば、「絶対矛盾的自己同一」ということになる。自己が分裂し成り立たぬのを、成立させようというのである。まさに狂気の世界である。そしてそのニヒリストはその狂気のなかで「我考えねばならぬ」のである。そこからニーチェはニヒリズムの本質がキリスト教、肉体にあることに行き着き、さらに私は加えて進化と進歩との問題にあることに気づいた。つまり私は闇闘の末に、自分が日本人であった（その歴史的古層を持っていた）が故に、進化における無に視点を置くことによって、その無から「我考える」ことができるようになったのである。

これによって私はようやく「私で考える」ことができるようになった。

問題は進歩である。ヨーロッパ人は砂漠の民（宗教）であるから、進化という生命としての普通の生活が成り立たない。そこで侵略、破壊、戦争によって欲望を勝ち取ることで生き延び、それらは歴史的古層化することになった。しかも歴史的古層とは「我」の支配者であるから、彼らはそうした思考から逃れることができない。つまり彼らは進化による普通の生活ができず、侵略、破壊、戦争の下にある進歩、欲望を求めて生きるしかない。それが彼らの幸福であれば、労働を嫌うのは当然である。従って神人である彼らは、進歩と欲望とを以て世界侵略に乗り出ていくしか価値の拡大が見出せなかった。彼らは巨万の富をもってしても、進歩と欲望とのさらにその上を目指して生きるしか価値が見出せなかった。そして貧しい者には、ただ寄付をすることでごまかすだけであるから、貧富の差は広がるばかりである。つまり『聖書』の教えなど何処吹く風である。ただひたすら欲望の数値を上げることに奔走するだけである。

ニヒリズムはもはや学者が議論するようなものではない。彼らの文明の余命の問題である。だが、彼らの文明が余命のそれであることなど、フランケンシュタインの進歩と欲望との文明のバブルに浮かれている彼らには分からない。

ニーチェが、「私が語ろうとするのは、これからの二世紀の歴史である。私は来ようとしているもの、来ることの避けられないもの、すなわちニヒリズムの到来について述べるのである」（『力への意志』）と言ったのは、そのことである。

四　ニヒリズム㈡

ヒト（私）とはつくづく馬鹿な存在であることを痛感した。なぜなら私は、「ニヒリズムとは何か」をこれまで散々追いかけながら、その答の上に乗っていながら、それが理解できず、ついにニヒリズムに行き着くことはできぬとまで考え、本書を放棄しようと思っていたのだから。だが突然、目から鱗が落ちるかのようにニヒリズムの意味を解するに至った。そもそもニヒリズムなどという思想のないことに。ないものを見つけることはできない。私は完全に視野狭窄に陥っていたのである。

ニーチェがニヒリズムを来るべき二世紀の歴史と言ったのは、私が西洋キリスト教文明の終焉一〇〇年説とそれほど変わらない。つまり人類は今、その真っ只中にあり、もはや引き返すことのできぬという現実にあることである。

本項は「ニヒリズムとは何か」という視野狭窄陥って書いていたから、前項の繰り返しになる所もあるかもしれぬが、自らの頭で思想的に一ミリ進むのがどれほど困難

郵 便 は が き

受取人払郵便

新宿局承認

7553

出有効期間
024年1月
1日まで
(切手不要)

160-8791

141

東京都新宿区新宿1－10－1

(株)文芸社

愛読者カード係 行

な 前		明治 大正 昭和 平成 年生 歳
な 所	□□□-□□□□	性別 男・女
話 号	(書籍ご注文の際に必要です)	ご職業
il		
読雑誌(複数可)		ご購読新聞 新聞

読んでおもしろかった本や今後、とりあげてほしいテーマをお教えください。

の研究成果や経験、お考え等を出版してみたいというお気持ちはありますか。

ない　　内容・テーマ(　　　　　　)

完成した作品をお持ちですか。

ない　　ジャンル・原稿量(　　　　　　)

書　名			
お買上 書　店	都道　　　　市区 府県　　　　郡	書店名	書
		ご購入日	年　　月

本書をどこでお知りになりましたか?

1.書店店頭　2.知人にすすめられて　3.インターネット(サイト名

4.DMハガキ　5.広告、記事を見て(新聞、雑誌名

上の質問に関連して、ご購入の決め手となったのは?

1.タイトル　2.著者　3.内容　4.カバーデザイン　5.帯

その他ご自由にお書きください。

(

本書についてのご意見、ご感想をお聞かせください。

①内容について

②カバー、タイトル、帯について

弊社Webサイトからもご意見、ご感想をお寄せいただけます。

ご協力ありがとうございました。

※お寄せいただいたご意見、ご感想は新聞広告等で匿名にて使わせていただくことがあります。

※お客様の個人情報は、小社からの連絡のみに使用します。社外に提供することは一切ありません。

なことであるかを理解してもらうためにも、あえて削除しなかった。

　無ないし虚無（ニヒリズム）は、そこに陥るまでは進化の逆行という点では同じである。しかし無は文字通り無であるからそこから文字の思想は生まれない。

　それに対してニヒリズムに陥ると、「『我考える』無」という「なんだかよく分からぬ、多くの場合苦痛を伴う情感」は、文字通りの無でありながら、その「なんだかよく分からぬ情感」を明らかにすることが、ニヒリズムの本質に迫ることだと考えるに至った。

　つまりニヒリズムに陥ると「我考える」キリスト教集団価値の内の、キリスト教集団価値が脱落し、「我考える」だけが残ることになる。そして問題は、その「我考える」の歴史的古層がいかなるものであるかを明らかにすることが、ある意味ニヒリズムの正体を明かすことだと考えた。

　ちなみに西洋人は「我ある」の欲望のために「我考える」のであり、他人(ひと)のために「我ある」として「考える」わけではない。そう考えれば、民主主義が最低なのも当然である。それは福沢諭吉の母親が乞食女の虱を取ってやり、しかも飯まで食わせてやることに楽しみを覚える退化の行為よりも劣ることになる。

キリスト教は砂漠（「0（ゼロ）」）の宗教であるから、人々の意識は有としての価値の拡大である欲望を目指すと共に、それは侵略、破壊、戦争によって齎されるものであることを、彼らは歴史的古層に蓄積することになった。つまり欲望はそれらと共に、進歩として彼らの歴史的古層に植え付けられることになった。

と同時にキリスト教はペテン（自己偽善の意）の宗教だ、ということである。なぜなら砂漠という「0」の土地から富を生み出すのであれば、「自分で神を作り出し、それに隷属する」ことは、自分で自分を騙しその神に隷属するということであり、それは自らを自らのペテンで騙すことによって、過酷な土地にあって、神人という強い「我」を生み出すことで生き延びることに外ならない。それがデカルトの哲学、カルヴァンの「予定説」、フランクリンの「時は金なり」（時は本来、『聖書』において神のものである）であり、また民主主義も戦争にもっとも強い政治思想であるに過ぎぬことになる(民主主義を平和平等思想だなどと思っている人間はまったくの馬鹿である)。

そうした歴史的古層をもつ西洋人であれば、進歩に余念がなく、一方で「核兵器のない世界」と言いながら核兵器の開発には熱心であり、またSDGsなどと言いながら欲望の資本主義という富に走ることに執心している。これが彼らの幸福感である。しかも彼らには肉体がないから、内面は空であり、従ってそれを満たすために欲望と進歩とに走り続けるしかない。つまり「足るを知る」ということがないから、最後は破滅に終わるしかないだろう。

その点、仏教はいかなる富があろうとも幸福になれぬことを知っている。肉体が無常を知っているからである。

彼らの進歩と欲望への執着はまさにニーチェが言った「ニヒリズムの到来」であり、歴史的古層において先のない、余命を宣告された病者の文明である。

これが彼の言った「これからの二世紀の歴史」である。

そしてさらに「五十年の後におそらく幾人かの人が（あるいはただ一人の人が――そうだとすれば、そのためには天才が必要だということになるでしょう）何が私によってなされたかを見る目を開くことになるでしょう」。（『手紙』）

五　小説『馬一（ばいち）』

（この小説はニヒリズムと無関係ではない）

その初老の窶（やつ）れた男は、上州の空っ風の吹きはじめた頃の夕暮、突然、大木家に現れた。挨拶もせず「あっしは馬一（ばいち）と言うもんですが、親方はおられますかの」と言った。たまたま応接に出た少女・鈴のなかを一瞬嫌なものが走った。その男は、小さい店とはいえ「大木材木店」を訪れるいかなる客とも異なり、身形（みなり）も労務者風で薄汚く、髪も整わず髭面であった。それに鈴の父は少人数とはいえ従業員をもつ社長であって、親方などと呼ばれる社会的地位の人間ではなかった。ただ社会は広いから、父と子との二人暮しの中学生の鈴には分からぬ世界もあるのだろうと彼女は納得するしかなかった。

鈴は相当にどぎまぎしていたのだろう。「聞いてきます」と言ってしまった。「聞いてくる」とは居るということである。

鈴は父のところへ向かいながら、父の嫌な顔が目に浮かんだ。ところがそれを父に伝えると「馬一が来たか、通せ、通せ」と言ったのである。鈴にはなんだかさっぱり分からなかったが、どうやら父は以前から馬一を誘っていたらしい。

男は客間に通されると、いかにも場馴れしていない様子でもじもじしていた。

「こんな所では寛げぬかもしれぬが、いつもの通りでやれや。茶より酒の方がいいか。それとも腹が減っているんじゃないか?」

男はそうだと頷いた。

「カレーしかないがそれでいいか?」

「はい、構わんです」

「鈴、トメに言ってカレーを持って来させろ」

トメとは通いのお手伝いさんで、従業員の食事の世話、洗濯等の雑事をやっている女(ひと)である。仕事が大変なのでカレーは常備食化していた。

鈴は馬一の名を知らぬではなかった。父が時折、電話口で彼の名を口にしていたからだが、取引先の人間くらいにしか思っていなかった。


馬一は父に「くつろげ」と言われると、まるで自分の家ででもあるかのようにソファに身を投げ出した。そしてトメがカレーを持ってくると、余程腹が減っていたのか三皿平らげた。

鈴はその食欲よりも、いったいこの男と父とがどんな関係なのかで頭が一杯だった。

食べ終えると、二人は仕事関係の仲間の噂話をしていたが、要は老齢と腕の怪我とで働き口がなくなり、父を頼ってきたように思われた。父は渋い顔を見せるかと思ったが、むしろ嬉しそうだった。

「それだったらトメさんの助っ人にでもなってもらおう」

そして突然、馬一は鈴の顔を見て「お嬢ちゃんですか、あっしは馬鹿一って……」鈴のなかに張られていた糸が切れてしまった。「私はお嬢ちゃんなんかじゃありません。ちゃんと鈴という名をもっています。それにここでは、あっしは、なんてそんな下品な言葉はやめて下さい。私は、と言って下さい」

言ってしまって、言い過ぎたかと思ったが後の祭だった。

が、馬一は「これは申しわけないことで、なにしろ堅気の生活をしたことがないもので」とペコリと頭を下げた。

鈴は拍子抜けがした。

「なにしろこの娘は母親がいないもんで気が強くて」と父。

「いや、あっ……私の方こそ気が利かんで。いつもの調子でやりましたから」

馬一は相当疲れているようなので、父は風呂に入れ、こざっぱりした服装に着替えさせると、馬一は人違いするほど変わって見えた。そして早々に床に就かせた。

彼が去った後、鈴は父に食ってかかるように「いったい何よ、あの人」と言った。

「本当のところお父さんにもよく分からんのだよ。会ったのは母さんが亡くなってから間もなくのことで、気落ちしているところへ、あの男と出会ったんだ。なんかあの男といると気持をほっこりさせてくれるんだ。それに命の恩人でもあるし」

父から聞かされた話は初めてで、父が今日まで語らなかったのは鈴の年齢を考えてか、それとも語らずに済むものならそれで済ませようとしたのか、そこのところは分からなかった。

父が馬一と会ったのは山仕事の関係で、ある時、その日折悪しく朝から雨が降っていた。仕事仲間と一緒に谷沿い（たにぞ）いの滑りやすい道を登っていたのだが、山仕事が本職でない父は足を捉えられ、谷に滑落（かつらく）しそうになったのである。体半分ほど落ちたところを、馬一が服の襟首を捉え父はどうにか落下を免れた。そして仲間の助けもあって引き上げられたが「今、思い出してもぞっとするよ」と言った。「馬一と口を利くようになったのはそれからだ。初めは感謝の気持からだったが、その内私の気持も変わってきた。と言うのも馬一には感謝されるということが、どういうものかよく分からぬらしい。もっともそれまで馬鹿一と呼ばれてきた人間だから感謝なんて無縁だったのかもしれぬが、しかし下手をすれば二人共谷底だったんだからね。そこになんらかの感情が涌くのは自然だと思うんだがそれが分からんのだな。変な話だが損得勘定がまるでないんだ、と付き合う内に分かってきた。いったいなにが楽しみで生きているのか分からぬが、いつもニコニコしているんだ。いつか聞いてみたことがあった。『どうしていつもそうニコニコしているんだ』と。するとなんと答えたと思う。『生きているからでさ』だとさ。鈴、そんな風に感じたことあるか？」

鈴は首を振った。

「おかしな奴だ。だから馬鹿一と呼ばれるのかもしれぬが、私は奴といると心がほっこりさせられるんだ。鬱陶しい世間のことも忘れられて」

「私も鬱陶しい世間？」と鈴。

「馬鹿」

二人は笑った。

その夜、鈴は馬一のことを考えてすぐには寝付けなかった。変な人でもあるし、馬鹿みたいな人だとも思ったが、彼が楽しみとし、いつもニコニコしている理由が「生きているからでさ」というのが鈴には謎のように聞こえた。彼女には生きているということは、一言でいえばただ平凡なことにしか思えなかった。確かに生きていることそれ自体が楽しければ、馬鹿一と呼ばれようと理屈としては気にもならぬだろうが、しかしそんな理が通るとも思えぬのは鈴の頭にも分かった。クラスで悪口を言われればどうしてニコニコなどしていられよう。彼女にとって馬一は変な人から興味の対象になっていった。

鈴にはクラスに親しくしている友人もなく、彼女自身一時（いっとき）は自分を変な人なのだと思った経験があったからかもしれぬが、その後、彼女の方から馬一に近づくような気配を見せた。

馬一はトメの手伝いをしたり、暇な時は近所を歩いていた。散策を楽しんでいるようにも見えたが、鈴にはそうは思えなかった。

そんな彼の姿を見かけると、つい鈴の方から近づくことになった。

「散歩しているの？」

「散歩……どういう具合なもんでしょう……」

「それならなにをしているの？」

「そうですね、今は風の音を聞き、木々のお喋りを聞いています」

「変！」鈴の頭のなかを一瞬その言葉が過った。それは悪い意味ではなくむしろ逆のものではあったが。なぜなら少なくとも、鈴には風が吹いているとも、木々の騒めき
も感ぜられなかったからである。馬一は詩人なのかしら、と思ってみたりもした。

「そんな風の音や木々の騒めきが聞きたいのなら、この辺を案内してあげてもいいわよ。新しい出会いもあるかもしれなくてよ」

「ありがとうございます」

鈴はそうは言ってみたものの、この小木町に案内するような所は、神社と小木町の言い伝えがあるくらいだった。だから鈴の話は、通りすがりにここの家の老人は買い出しに困っているのよとか、この家の納屋を直してくれる人がいないで探しているの

よとか、どうでもいいことにまで及んでしまった。鈴にはその自覚がないほど馬一に馴れてしまっていたのである。

鈴にしてみれば、噂話でもするように喋った積りでいて、相手が馬一だということをまったく失念していた。馬一は鈴の頼み事とでも受け取ったのか、実際、その家の買い出しに出、納屋の修理を始めたのだ。礼金も受け取らなかった。それで困る者も出るわけではないが、鈴は馬一の馬鹿一振りを身に染みて感じた。


またある日彼と行き合ったとき、彼が口をもぐもぐさせているのに気づいた。煎餅を食べているとき鈴と出会ったので隠そうとしたのだ。

「なに食べているの？」

「煎餅ですだ」

それまで考えたこともなかったが、馬一が会社で出る御八つ（おやつ）以外に間食しているのを見たことがなかった。彼はどうしても煎餅が食べたくなったのだと言った。

「食べますか？」

「いただきます」

鈴は一枚もらって食べたが、不味かった。

「美味しいでしょう」と言って馬一は鈴の顔を見た。

鈴は美味しいと思っているらしい馬一を悲しませたくなかったので「美味しいわ」と言い「どこで買ったの？」と聞いた。

「私が買ったのではなく……」と言って馬一は説明し出した。

「欲っていうものは悪いもので、私の頭のなかに煎餅が食べたいという欲が出ると、煎餅という言葉が頭から離れんのです。捨てても捨てても浮かんでくる。そこで社長にお願いして煎餅を買う金をいただきたいと言ったんです。そうしたら、そうしたことはトメの方が詳しいから彼女に買いにやらせようと。そしてこうして煎餅に有りついているわけです」

「お給料あるでしょう？」

「給料ですか、そんなものありません。あれは汗水流して何ぼの世界です。私のような只食いの居候にはそんなものは貰えません」

「でも、トメさんの助けをしているじゃないの」

「ありゃ、ままごとです」

「そんなら私に言って、だって友達でしょう」

「と　も　だ　ち……そうですね。友達ですね」

鈴は言いながら自分がいかに恵まれているかを思い知った。衣食住に恵まれ、しかも汗水も流さず小遣いを貰っている自分を。

「煎餅くらいの事なら鈴に任せなさい」と彼女は照れ笑いのような笑みを浮かべて言った。

「はい、友達だからそうします」

鈴は馬一との関係がますます狭まっていくのを感じながら、この変な関係はなんなのだろうと思いもした。むろん父への愛情とは違っていた。また友達とは言ったが友情とも違っていた。ただ父の言うように「ほくほく」させてくれる関係とでも言うしかないものだった。

二人の関係は何事もなく同じように続き、年を越して早くも夏になっていた。

二人は町唯一の川といってよい小木川の川原にいた。そこは夏の子供の遊び場だった。かんかん照りで人の出も多かった。

鈴は上着は羽織ってはいたが、水着姿だった。馬一は普段着である。別に馬一に水着姿を見られることを恥ずかしいとも思わなかった。

「泳いでらっしゃい」馬一がパラソルを広げながら言った。

鈴は上着を脱ぎ川面に目をやった。どうも水流が多すぎる気がする。

とその時、下流から「溺れ人だ」という叫び声が上り、騒（ざわ）つき立った。むろん子供だろう。大人は小木川の危険箇所をみな知っているからだ。と、そんな思いが脳裏を掠めた一瞬、あのどこか鈍重の風のある馬一が、パンツ一枚になり駆け出していたのだ。

馬一は「どこだ」と叫んだ。そして人々の指さす方向の水流に身を投げ入れた。

鈴は呆然として見ていた。彼女はその自分の呆然さを後（あと）になって考えた。

まず馬一の思いもかけぬ俊敏な動き、そしてよもや彼が泳げるなどとは思っていなかったこと、そしてなにより馬一を友達だなどと言っておきながら、心のどこかで彼を幾分、馬鹿にしていた自分を発見したことだった。それは鈴自身の嫌な心の発見でもあった。

鈴には馬一の姿がまったく認められなかった。川面を人々がごった返し、まったく見極めがつかなかったからである。消防、警察に電話をしたが、すでに通報済みだった。

鈴は黙って川面を見ているしかなかった。役立たずという言葉が、自身へのものとして頭に浮かんだ。

長い時間が経ったように思われた。川面から馬一が姿を現しこちらに歩いてきた。相変わらずニコニコしているから、子供は助かったのだろうと思う反面、なにしろ相手は馬鹿一だからという思いが一瞬脳裏を掠めた。

鈴は駆け寄ると「助かったの?」と訊いた。

「助かりましたよ」

鈴はその言葉を聞いた途端、急に全身の力が抜けたように馬一の胸に縋りついた。訳も分からず涙が流れた。鈴はまったくの空っぽになってしまったのだ。

一頻りして涙が止まると、鈴は自分がとんでもないことをしていることに気づき、ぱっと馬一から身を離した。

「ごめんなさい。気が動転して」

「落ち着きなさったか」

鈴は頷いた。

その日は帰ろう、ということになった。帰る道々、鈴はどうして自分が発作的にあんな恥ずかしい行動を取ったのか、という疑問で頭が一杯だった。そしてその気持を逸らそうと「男の子？……重傷なの？」と訊いた。

男の子で水を吐かせると元気になったが、念のため病院へ行ったと言った。

いくら考えても自分のした事が分からなかったが、馬一が普段と変わらずニコニコしていることが、誤解されていないことを証しているようで気持が軽くなった。それに馬一が誤解するなんてないわよね、と自分に言い聞かせた。

その後、鈴はあの光景から変な噂が流れるのではないかと思ったりもした。私ってちっちゃい人間ね、馬一ならそう思うだろうとして払拭した。

実際、見た人の目には父と子というより、孫のように映った。むしろ「大木材木店」に馬一ありという噂の方が広まった。警察でも感謝状を、という話も出たらしいが、馬一が身元不明者ということで沙汰止みになった。彼にとっても迷惑な話だっただろう。

数日後の休日、救われた少年と両親が菓子折をもって「大木材木店」を訪れた。馬一が逃げる素振りを見せたのを、父が「会いなさい」と軽く一喝を入れた。

「大丈夫よ、馬一さんは煮ても焼いても食べられないお馬さんなんだから」と鈴も茶々を入れた。馬一は破顔し、心を決めた様子だった。

それにしても、両者の対面はいささか滑稽なものであった。

両親のお礼の言葉に馬一は「はぁ」「えいと」「どうも」くらいの言葉しか出ぬので

ある。そして相手が頭を下げると、彼も一緒になって頭を下げるというその風景に、鈴は内心プーッと吹き出していた。

三人が帰ると鈴は馬一の物真似をしてからかった。馬一は怒る様子もなくニコニコしていたが、「やはりお馬さんでしたか？」と言われたとき、鈴はやり過ぎたと、はっとした。ただ一言「御免なさい」と言った。馬一は何のことやら分からぬように「何がです」と聞いた。「別に大したことじゃないの」

馬一がやってきて一年余りになろうとしていた。そしてその事件が起こった。鈴はあれは「魔」だと思った。

その日は秋日和であった。鈴には事情は分からなかったが、社壁に数十本の杉の平板が縄に括られ固定されて並べられていた。その中には床柱にする太い丸太も二本ばかりあった。

鈴は一人その脇を歩いていた。視界が曇ってきた。風だわ、と彼女が思う間もなく強風が彼女の体を舞い上げるように地べたに叩き倒していた。一瞬、なにが起こったのか分からなかったが、ごーうという音と共に壁に立て掛けられていた材木が鈴の上に襲いかかってきた。鈴の頭を「死」という言葉が掠めた瞬間、彼女の上に覆い被さるものがあった。「あ、馬二」と思ったところで彼女の意識は切れた。

鈴が意識を取り戻したのは病院のベッドだった。心配そうに覗き込む父の顔があった。

鈴の頭からまったく無意識に出たのは「馬一は？」だった。

「生きているよ」

「そう」と言ったが「よかったわ」とまでは言わなかった。なぜか父を傷つけるような気がしたからだ。「いったい何が起こったの？」

「竜巻だよ」

「たつまき？」

この土地で竜巻は死語であった。

この時になってやっと鈴は自分の症状がどんなであるかを、尋ねるという意識が生まれた。

「私、どんななの？」

父は鈴が腕を骨折している以外、打撲だけでたいしたことはないと言った。

鈴は「そう」と言ったが、なんだか他人事のように感ぜられた。そして自分が生きているのが、馬一によってだという実感もなかった。

自分がこうして命拾いしたことに、それほどの喜びが感ぜられぬのが、鈴には怪訝に思われた。骨折しただけだからかしら、とも思ってみたが得心がいかなかった。

それから二時間後、馬一が息を引き取ったことを医師が告げにきた。

鈴は父から馬一が生きていると言われた時も、「そう」と言っただけだったのは父に気を遣ってのこともあったが、こうなることがすでに自分には分かっていたからだと思った。

父から馬一が丸太で後頭部を打たれたこと、そしてその半ば人事不省のなかで譫言（うわごと）

に「まことにいい人生でした」と言っていたことを告げられた。

あの材木の倒れてくる一瞬、馬一は鈴の死を引き受けたのだと悟った。馬一がそういう人間だと言うことは分かっていたが、それがどうして「まことにいい人生」に繋がるのか鈴にはまるで分からなかった。そういう、他人(ひと)に理解を許さぬところが馬一にはあった。

馬一の死は悲しみと言うより、鈴のなかの心の火をほとんど消してしまった。彼女が声を上げて泣かなかったのは、その気力さえなかったからだった。ただ涙が留めどなく流れた。

馬一との思い出が走馬灯のように浮かび流れた。鈴はどうにかなると思いつつ、自分がこれからどう生きていけばいいのか、その羅針盤を失ったような気がした。

鈴は自分でも信じられぬほどの涙を流した。食事もまったく喉を通らず、睡眠もまともにとれなかった。

馬一の葬儀は、死から三日後「大木材木店」でささやかに行われることになったが、鈴は出られそうになかったし、また出たくもなかった。馬一がそうした形式的なことを嫌う人間であることを知っていたからだった。

鈴はほとんど闇のなかにいた。光は父だけだった。しかし馬一に言えることと言えぬことがあったように、父にもあった。なぜか心の内を父に打ち明けることができなかった。

しかし立ち上がらねばならぬと思いつつ、その心の整理の手掛かりは見つからなかった。分かったのは馬一は永遠に理解できぬ人だ、ということだけだった。


廊下から父とトメとの会話がわずかに聞こえてきた。

「馬一さんにもお嬢さんと同じくらいの娘さんがいたんじゃないでしょうか……それとも恋に落ちた……」

「馬鹿なことを言うんじゃない」

鈴はトメを憎んだ。憎しみで体が熱くなった。心が落ちついたときも、恋というものが、人と人とが好き合うものだとしたら、トメの言うことも一部当たっているとは思ったが、それで憎しみが消えたわけではなかった。

病院に一週間もいると、心も幾分、落ち着いてき、食欲も出てきた。

そうした折、これまで気にも留めなかった馬一の言葉が思い出された。

「鈴、いい名前ですね。普段は快く鳴り、時には大きくも、小さくも鳴る。親御さんがそう思って名付けたんですね」

まだそれほど親しい関係にあったわけではなかった時のことで、鈴はそれを馬一の精一杯のお世辞だと受け取っていたから、忘れていたのだ。

鈴は、今自分は小さく鳴っているのだ、自分が自分らしく生きれば、普段の快い音色を出すことができるのだ、自分らしく生きればいいのだ、と馬一がそう言っているように思われた。鈴は光を見る気がした。

その二日後、まだ若干衰弱していたが鈴は退院した。

父は嬉しそうな様子であったが、どことなく陰（かげ）のあることに気づいた。最初、鈴は自分の思い過ごしかと思ったが、確かにあると確信した。そして漸く「あっ」と気づいた。本来ならここにいるのは自分ではなく馬一であることに。鈴は身代わりで、そのために父は親友の馬一を失ったのだと。

鈴は病院にいる間中、自分や馬一のことばかり考え、父のことをまったく考えなかった自分を思い知った。馬一が時折言っていた「人の道」を忘れていたのだと思った。

鈴には父の立場で考えることはできなかったが、父の懊悩は理解できた。が、鈴にできることはなかった。

その三日後、鈴は自分が懸命に考えたことを言った。

「お父さん、家（うち）の墓地の片隅に馬一の墓を建ててくれない。むろん立派なものじゃなくていいの。親子で馬一に命を救われたんですもの。馬一は多分、墓なんて嫌うでしょうから小木川の川岸にころがっている、ちょっと大き目のごろた石のようなものでいいの。そこに馬一と刻むだけで」

父は喜んで賛成してくれた。そして笑いながら鈴の頭にそっと手を置いた。まるでここまでよく成長したな、とでも言うように。

それは父の奔走で一ヵ月余りで出来上がった。

人の頭よりやや大きいくらいの灰褐色の石で馬一とだけ刻まれていた。

「馬一らしくていいわね」

「そうだな」

鈴は時折、墓を訪れた。散歩のようにも、悩みを打ち明けるような時にも。しかし馬一は無言だった。それでも鈴には馬一の笑顔が浮かんできた。

鈴は自分の道を見出したような気がした。自分は、馬一の言うように鈴のように生きればいいのだと。

六 『馬二』後記

正直、この小説はどうということもないものである。問題はこれから述べる後記にある。

私はここ何十年間に二冊くらいの小説しか読んでいない。それも資料として読んだだけである。従って私は小説のことなど考えたこともなければ、また夢を見てそれをヒントに『馬一』を書いたわけでもない。そんな私にしてみれば、小説を書くなど思いも掛けぬことであった。では、なぜ書いたのか？

ある朝、目が覚めると頭のなかにこの小説の原作ができていた。題目も付いていた。つまり就寝中、もう一人の私が『馬一』を執筆していたのである。そんな訳であるから、私のやることといったら地名等を付けることくらいしかなかった。

なんで小説などという縁もゆかりもないものが突然、私の頭のなかに浮かび上がったのか、またそんなものを書かぬこともできたはずである。だが現実にはそれができなかった。あたかも私のなかに「書け」と命じる別の「私」が存在し、書かぬとさながら私自身が分裂し、成り立たぬような感があったのである。だから私自身なんの意図の下に書かれたものであるのかも知らない。ただ分かっているのは、意識としての私と、（歴史的）古層（肉体）というもう一人の「私」とに分裂していることだけである。

そこで思い出されたのが、エドガー・アラン・ポーの『ウィリアム・ウィルソン』である。

『ウィリアム・ウィルソン』の内容は記憶で書くので確かではないが、二人のウィリアム・ウィルソンが登場し、単純に言えば彼らは善と悪とのウィルソンであって、悪のウィルソンが事を起こそうとすると、そこに善のウィルソンが邪魔に入るというものであった。要は一人のウィルソンのなかにもう一人別の、力をもったウィルソンが存在していた、ということである。この二人に分裂したウィルソンこそ、ポーの内面に外ならなかった。つまりそれが私の言う意識の「私」と、（歴史的）古層（肉体）の「私」とである。

ここ短年間に、私は相当数の本を出版しているが、それは私の内面にあるもう一人の「私」（古層＝肉体）に命じられてのことなのである。だから他人（ひと）に読んでもらおうという意志はほとんどなく、正直できることなら書きたくなかった。苦痛だったからである。しかし私のなかの別の「私」の「書け」という命令に逆らうことはできなかった。なぜなら私と、別の「私」とは一体であって、逆らえば私という存在が破綻してしまうからである。それは一人のウィルソンが二人に分裂したのと同じである。

これはニヒリズムと関係している。私が述べた（歴史的）古層とは、そのもう一人の「私」（肉体）なのである。それはランボーの「『私』は一個の他者であります」の「他者」というもう一人の「私」（肉体）であり、また三島が『仮面の告白』を書いたのも、彼の仮面のなかにもう一人の「私」が住んでいた、ということである。それはニヒリズムが必ずしもキリスト教と同一関係にあるわけではない、ということを示している。

ニヒリズムは肉体のないことに関係しているのである。つまり三島文学にはそれがないのである。だから彼は肉体を求めたのである。すなわちニヒリズムは進化に係わっている、ということである。

さらにまたニーチェが「肉体のなかに住む『本来のおのれ』」と言ったのも、もう一人の肉体を求めた「私」だと言うことである。そしてプルーストが『失われた時を求めて』を書いたのも病弱ゆえに肉体がなく、それを求め自己偽善によって、進化の内にもう一人の別の贋（にせ）の肉体をもった「私」を作り出し、その「私」であればこそ、あれほど厖大な贋の記憶を生み出すことができたのである。常識的に考えても意識が生み出せる記憶には限りがあり、彼のような記憶の蘇りは有り得ない。つまりそのことは肉体の「本来のおのれ」で「考える」ということが、進化の概念のない西洋人には理解できぬ、ということである。

これらのことはそれが思想としての「ヨーロッパのニヒリズム」とは別の、個人としての「なんだかよく分からぬ、多くの場合苦痛を伴う情感＝『我考える』無」としてのニヒリズムである。

私はこれらのことに関して、一寸自分の思想史を辿ってみようと思った。

私の手元にある処女作『生における神秘体験の意味』を出版したのは、実に六〇歳の時である。その著において、プルースト、ニーチェ、ランボー、禅の無、進化論はすでに論じられている。記憶は曖昧だが、その表題の意味は、プルーストの「無意識的記憶」と似ていたからそう名づけたのだが、その当時すでに私は精神科に通院していたと記憶する。なぜならニーチェについて論じているとは、そういうことだからである。ただまだニヒリズムには触れていない。

私が本格的にニーチェに係わりだしたのは、七〇歳の時に出版した『空（無）の思想』、副題「ニーチェを超えて」であった。このときに至ってはすでにニヒリズム、（歴史的）古層、自己偽善、四次元身体と三次元身体、集団ヒステリー等の概念はできていた。

恐ろしいほどの晩学であるが、その理由としては三〇歳の頃、巷間に流行していた一切の西洋思想を、これと言った明確な自覚もなく――あるとしたら自分が洗脳されているのでは、という疑念の下に、禅の「言葉を捨てろ」という教えによって――否定し、そこからまさに独学で始めたからである。そして巷間に流行（はや）っていた思想を私がなぜ否定したかを悟るのに、実に長い時間が掛かったのは、自分が少年時にすでに無を悟っていたことを知らず、なんとか資本主義に合わせて生きようと苦闘していたからに外ならなかった。無と資本主義とは実に相性が悪いのである。その相性とは西洋はキリスト教（有）であり、日本は無だからである（肉体の無をもたぬ空っぽ頭は問題外）。

それは日本人がデカルト、カルヴァン、フランクリンといった種類の人々とは無縁に生きてきたからである。江戸時代の庶民は労働を苦楽とし、ただ他人（ひと）の笑顔を見ることだけに喜びを覚えるような歴史的古層をもった民族だったのである。そしてそれを可能にさせていたのが武士であり、その武士が滅んでしまった結果、そこに西洋資本主義＝民主主義が導入されれば国民に苦しみしか齎されぬのは道理だろう。

小説『馬一』を私に書かせたもう一人の「私」（歴史的古層）は、私にそんなことを考えさせた。

こうした世界はインターネットでは、絶対に導き出せぬ世界であり、それが進歩の限界である。私がインターネットにまったく興味を持たなかったのは、西洋キリスト教文明が『ヨハネ福音書』に「はじめにことばがあり、ことばは神のところにあり、ことばは神であった」とあるように「初めに言葉ありき」であって、それ以前の世界（進化）の記述がまったくないことにある。

インターネットは確かに進歩であるが、「肉体の無」という自然においてはまったく進化しておらず、むしろ退化するくらいだから武士（禅）のような思考ができない。従って進歩の思想を歩むとなると、そこには「肉体のもつ大いなる理性」が欠けることになり、知識的に進歩したと思っても、生命的には退化することになる。大江氏、朝日新聞などがそうである。その同じことが西洋人という神人に起きると、自分は進歩した優れた人間だと思っても、現実には「肉体」がないから退化している。ヒトラー、スターリンなどがその象徴である。そしてそうした西洋の進歩と欲望とからなるニヒリズムは確実に核戦争、地球温暖化等に向かって走っていくことになる。まさにフランケンシュタイン文明の到来である。

七　天才論

　それはある夜、「ふーっ」と天から降ってくるように、私のなかに浮かび上がった。敢えて言葉で表せば、「私のなかに一個の肉体という天才が住んでいる」とでも言うことになろうか。そしてそれは私に、文芸社と最初に係わった出版物『思想家としての三島由紀夫』（二〇二〇年一月刊）を私に書かせたときの気持を思い出させた。それは七十頁ほどの小冊子で、一度読み返して駄作だと思った記憶がある。

　その「まえがき」に、「私は元々、本書で三島由紀夫について書く気はなかった」と記している。私はそれを書く気っ掛けとなった時の情景を、今ありありと思い出す。

　それを書いたのは、突然、罹患した誤嚥性肺炎で入院していたベッドの上でだった。一週間ほどの入院だったから、書いたのは快方に向かった二、三日間のことだろう。どうしてか分からぬが突然私のなかに三島が現れ、私はベッドの上でノートにペンを走らせていた。それを退院後、加筆修正し、上梓したのである。

私は今、七十七歳だから、当時七十を超えていたはずである。それでなくとも病弱であった私の退院後は、それこそ骨と皮とであり、それは今も変わらない。しかしその後、四、五年の間に、私は十冊近い本を文芸社から出版している。体力の衰えを気力で乗り切ったとでも言えば、なんとなく収まりはいいかもしれぬが、そんなものではない。それはプルーストがあの病弱のなかで『失われた時を求めて』を書いたのと同じである。

ところで私の思想上、なぜ『失われた時を求めて』と『葉隠』とが同じ俎上に載るのか？

武士は剣術、禅等によって肉体の無に達し、そこで「考えた」。『葉隠』の山本常朝もそこで「考えた」。それは福沢の思想とて同じであるが、戦後そんな人間はいないから、福沢の著作は誤読され続けた。つまり彼は「殺人、散財は一時の禍」と見る生粋の武士だったのである。

それに対し『失われた時を求めて』の、たとえば「マドレーヌの味を無意識に私が認めた瞬間に、自分の死について不安がはたとやんだのは、そのとき、私という存在は、超時間の存在、したがって未来の転変を気にかけない存在であったからなのだ」と言うとき、外見上で見る限りは、武士の無とは違ったものに見えるが、プルーストも「肉体の無」――というより彼はヨーロッパ人だったから、ニーチェの虚無である「肉体のもつ大いなる理性」「肉体のなかに住む『本来のおのれ』」――に達したから、彼も武士の無同様に「自分の死についての不安がはたとやんだ」のである。つまり彼の「無意識的記憶」とは、意識の問題ではなく、進化における肉体の虚無ないし無だったということである。

また別のところでプルーストは「私の内部で、深い水底に沈んだ錨のように、ひきあげられるのを待っていた何かが、動き出し、浮き上がろうとしてふるえているのを感じる。……はたして私の明瞭な意識の表面にまでやってくるだろうか。……と突然、追憶が浮かび上がった」と言うのは、ニーチェが「意識にのぼってくる思考は、その知られないでいる思考の極めて僅少の部分、いうならばその表面的部分、最も粗悪な部分にすぎない」というのと同様に、進化において肉体からの思考が意識上に浮かび上ろうとするその過程（生の上昇）を示している。

対して武士の場合は、浮かび上がるのは「肉体の無」であるから、思考としての過程は無である。つまり言語化することはできない。言い換えれば、武士は自らの進化思想を言語化することはできなかった。せいぜい『葉隠』程度である。

このことは何を意味するのかと言うと、進化の逆行が起きると、西洋人（プルースト、ニーチェ、ランボー）の場合は、ニヒリズムに陥るから、その進化において肉体が喋る（考える）ということが起こるが、日本人（武士、禅者）においては、肉体が無言で喋る（考える）だけである。

つまりプルーストの無意識的記憶の体験とは、肉体に喋らせる切っ掛けを与えた——進化の逆行によって肉体の虚無（ニヒリズム）に陥らせた——ということである。その肉体のお喋りが『失われた時を求めて』という冗長な小説を可能にしたのである。

またニーチェはこの間の事情を次のように述べる。

「こうして、この（肉体のなかに住む）『本来のおのれ』は常に聞き、かつ、たずねている。それは比較し、制圧し、占領し、破壊する。それは支配する、そして『我』の支配者でもある」

つまり「肉体のなかに住む（進化における）『本来のおのれ』は常に聞き、かつ、たずねている。それは比較し、制圧し、占領し、破壊する」のと同時に、「我考える」（意識）を「支配している」ということである。

これはランボーが「『私』は一個の他者であります」と言うときもまた、意識する『私』のなかに存在する「肉体という進化する一個の他者」に支配されている、ということである。

そのことが分かってしまった彼にとって、肉体を通して意識が書く詩（意味不明なイリュミナシオン等）、およびそうした絡繰（からくり）のあるヨーロッパ文明など、実に下らぬとして放棄したのである。彼には肉体だけでよかったのである。

ところがヨーロッパ人は、『ヨハネ福音書』に見られるように、世界とは肉体（進化）のない意識（言葉）だけから成ると信じているから、プルースト、ニーチェ、ランボーの言葉の意味が分からない。だから彼らは取り敢えず、彼らを天才と見ることにしたのである。つまり彼らは取り敢えずの天才であって、その手の天才なら、戦後は三島を除けばほぼ払底してしまっているが、過去の日本には——山本のような武士、禅者は——うじゃうじゃいたのである。従って江戸時代などは彼らによる統治、指導によって、庶民は退化して生きていても良かったのである。

彼らは別に天才でもなんでもない。むしろ肉体の下の進化を生きるヒトとしては、正道の人々であった。

もっとも肉体が喋る（「我考える」無）というのは、やや面妖かもしれぬが、西洋人は肉体（進化）のないフランケンシュタイン人間という進歩の道を歩んでいるから、そのことがまったく分からない。つまり彼らは神に保証された肉体のない「我」＝意識＝思想の世界を生きているのである。それは進歩のメカニズムを考えれば起こり得ることであるが、しかしいまだにそのことが分からぬ彼らは、意識上の主観と客観とが一致するかどうかなどを論じているのである。馬鹿げているというより、いずれそうした文明は滅びることになる。

武士、禅者は無を生きているから、肉体が喋るということはまずない。まずないのが、私の場合どういうわけかニヒリズムに陥ってしまったから——あるいは私の孤独地獄が宗教的方向に走らせてしまった結果かもしれぬが——小説『馬一』、そしてさらに私の箴言を含む全著作がプルーストの「無意識的記憶」同様の「神秘体験」によって、進化における「肉体のなかに住む『本来のおのれ』」が喋るということが起こってしまったのである。

つまり睡眠中、私は肉体の虚無にかからくられて『馬一』という小説のお喋りをし、翌朝それから目覚め、意識を生きる私に伝達されたのはそのためである（ちなみに『馬一』と臨死体験とは同質のものである。臨死体験とは意識を失うことによって、その意識の支配者である進化における肉体〔虚無、無〕が喋り出す、ということである）。意識は進化上、肉体から生まれたものであるから、肉体のお喋り（考え）を意識に伝えるというのは異常なことではない。

そうであれば、プルースト、ニーチェ、ランボーが天才なら、山本常朝も天才である。山本の場合、肉体の無（無言）に「からくられ」（支配され）て生きていることを認識していたのだから。

このことは病弱さゆえ肉体を持たなかった三島が、肉体（進化）に引かれてボディービル、『葉隠』に走ったのは自然なことである。むしろ三島文学は、戦後退化した日本人に愛読されることによって、自らのそれが超退化文学であることを、自らの死をもって日本人に証明したとも言えよう。そしてプルースト、ニーチェ、ランボーを天才扱いし（西洋人がそうしたから）、『葉隠』、三島事件を無視する戦後日本人とは、まさに西洋猿マネ暗記ザルであることを明らかにしたとも言える。

私にとって天才など存在しない。武士のような進化の正統性を生きる者の方が常態なのであって、戦後の退化した日本人、また肉体のない西洋フランケンシュタイン人間の方が異常なのである。日本人は西洋猿マネ暗記ザルをやめ、かつてそうであったように、肉体の無から学び直すべきである。

著者プロフィール

堀江 秀治（ほりえ しゅうじ）

昭和21年生まれ。東京都出身、在住。
慶應義塾大学を卒業、その後家業を継ぐ。
特筆に値する著書なし。

天才論 進化と進歩

2023年6月15日　初版第1刷発行

著　者　堀江 秀治
発行者　瓜谷 綱延
発行所　株式会社文芸社
〒160-0022　東京都新宿区新宿1－10－1
電話　03-5369-3060（代表）
03-5369-2299（販売）

印刷所　図書印刷株式会社

ISBN978-4-286-24244-6